FAIRY TAIL

62

HIRO MASHIMA

FAIRY TAIL 62
SOMMAIRE

CHAPITRE 528 :
LE DRAGON MALÉFIQUE

HAHA!

HAHA HAHA!

4

INUTILE DE T'ACHARNER DAVANTAGE SUR CETTE DÉPOUILLE...

FST

ÇA SUFFIT !

...

TOI, TU DÉGAGES LA MÊME ODEUR QU'ELLE...

UN CHASSEUR DE DRAGONS ? COMMENT UNE GAMINE COMME TOI PEUT AVOIR UN TEL POUVOIR ?

GLOUPS

!

ET TOI ? QUI ES-TU ?

ACNO-LOGIA...

DOM

UNE TELLE MAGIE...

ERZA... CET HOMME, C'EST...

CLIIIING

GERALD
?!

NEUF
ÉTOILES
ÉTINCE-
LANTES
!

SUBIS-
SEZ LE
CHÂTIMENT
DES SEPT
ÉTOILES
!

GRO

À QUELLE BRANCHE APPARTIENT-IL ?

IL L'AVALE ?!

LA MAGIE...

QUELLE BRANCHE ?

AUCUNE !

BROOM

AH...

NON...

N'IMPORTE QUEL SORT ?

AUCUNE MAGIE N'AURA D'EFFET SUR LUI ?!

BRO

PARCE QUE JE SUIS... UNE CHASSEUSE DE DRAGONS...

JE... JE DOIS AGIR... C'EST MON RÔLE...

LÀ, ON N'A AUCUNE CHANCE DE GAGNER...

SA MAGIE EST TRÈS DIFFÉRENTE DE CELLE QU'IL A DÉPLOYÉE SUR L'ÎLE DE TENRÔ...

16

DE PLUS...

N'EST-CE PAS ?

!!

TAP TAP

QUOI ?!

VRAIMENT ?!

SI ON PARVIENT À L'ATTIRER "LÀ-BAS"...

ON A PEUT-ÊTRE UNE CHANCE DE LE VAINCRE !

OUI...

CHAPITRE 529 : MAÎTRE

ACNOLOGIA !
SUIS-NOUS
!

CHRISTINA !
DÉCOLLAGE
IMMÉDIAT
!

MES AMIS,
POURSUIVONS CETTE
DISCUSSION PENDANT
LE VOYAGE
!

OUI
!

COM-
MANDANT !
PAR ICI
!

MAIS... QUI EST CETTE FEMME ?

ENTENDU...

...

ATTENTION !

ÇA VA SECOUER ! ♥

VIUM

! AH !

BLAM

GOOOO

CE... CE N'EST RIEN...

PA... PARDON !

WENDY... CE NAVIRE A ÉTÉ CONÇU POUR POUVOIR ACCUEILLIR DES CHASSEURS DE DRAGONS...

CALME-TOI ET RESPIRE PROFONDÉMENT...

ALORS ?

TOUT VA BIEN, N'EST-CE PAS ?

!

PFF

HAÂA

ELLE CONNAÎT WENDY ?

GOOOO

OUI...

CLANG

CANON À CONCENTRA-TION MAGIQUE JUPITER CHARGÉ !

VIRAGE EN ACCÉ-LÉRATION !

BONNE IDÉE ! ♡

ON VA LE TAQUINER UN PEU !

PARFAIT ! ACNOLOGIA NOUS SUIT !

YEAH ! DANS LE MILLE !

PAF

GROM !!

HII

BEURP

ASSAULT PEGASUS !

CLAC

JE DOUTE QUE ÇA MARCHE, MAIS SORTEZ LES CANONS DE 120 MM !

ON PASSE AUX CHOSES SÉRIEUSES !

QUOI ? LA MAGIE EST INEFFICACE SUR LUI ?!

IL L'A AVALÉ ?!

MAINTIEN À L'HORIZONTALE !

CLAC CLAC CLAC

AH... JE VOUS RE-CONNAIS...

BLAM

AAH...

OUPS... PARDON...

ÇA Y EST, LA MÉMOIRE TE REVIENT ?

JE SUIS L'ANCÊTRE DE LUCY, QUE VOUS CONNAISSEZ BIEN...

"MAÎTRE" ?!

JE CROIS QU'ON PEUT LE DIRE COMME ÇA...

IL NE FAUT PAS SE PRÉCIPITER...

FAISONS LES CHOSES DANS L'ORDRE...

PEU IMPORTE QUI VOUS ÊTES ! VOUS SAVEZ VRAIMENT COMMENT VAINCRE ACNOLOGIA ?

JE NE COMPRENDS RIEN !

TU AS BIEN GRANDI, WENDY...

JE... JE NE SUIS PAS SÛRE DE BIEN COMPRENDRE...

NE T'EN FAIS PAS...

EN L'AN X777...

AVEC UN SEUL ET UNIQUE BUT : VAINCRE ACNOLOGIA...

...

FWIT

BOUH...

QU'EST-CE QUI T'ARRIVE ?

LUCY ?

BEN...

BOUH...

UUH...

SNIF...

UUH...

PLOC

PLOC

PLOC

LA VIE DE NATSU NE DÉPEND QUE DE CE LIVRE...

QUAND J'Y PENSE...

NATSU EST POURTANT UN GARÇON COMME LES AUTRES...

JE NE COMPRENDS PAS...

IL Y A QUATRE CENTS ANS, NOUS N'AVIONS AUCUN MOYEN POUR FAIRE FACE À ACNOLOGIA...

LES DRAGONS SE SONT RÉSOLUS À MISER SUR L'AVENIR...

OUI... ET FINALEMENT, ON A BIEN FAIT DE LA REJOINDRE...

ÇA, GRANDINÉ NOUS L'A DÉJÀ EXPLIQUÉ...

ILS SONT ENTRÉS DANS LES CORPS DES CHASSEURS DE DRAGONS ET SONT PARTIS DANS LE FUTUR... À VOTRE ÉPOQUE...

ELLE DISAIT QU'AUCUNE AUTRE ÉPOQUE NE REGORGEAIT DE MAGIE COMME LA NÔTRE...

IL N'A JAMAIS CESSÉ D'ÉTUDIER LE TEMPS... IL VOULAIT VOYAGER VERS LE PASSÉ, MAIS CE N'ÉTAIT PAS ENCORE POSSIBLE...

ZELEPH A CRÉÉ UNE PORTE ET JE L'AI OUVERTE...

ZELEPH ?!

JE SUPPOSE QU'IL GARDAIT ENCORE DES ESPOIRS POUR LE FUTUR...

LA MÈRE DE LUCY...

J'AI OUVERT LA PORTE D'ENTRÉE ET ELLE, CELLE DE LA SORTIE...

C'EST GRÂCE À LAYLA HEART-FILIA QU'ON EST ARRIVÉS ICI...

ET À CAUSE D'UN INCIDENT IMPRÉVU, VOUS AVEZ ÉTÉ DISPERSÉS...

OUI, VOUS ÉTIEZ ENCORE DES ENFANTS...

DE NOUS ÉLEVER ?

ET J'AI FRANCHI LA PORTE DANS LE BUT DE VOUS ÉLEVER...

MOI, J'AVAIS POUR MISSION D'EXPLIQUER LA SITUATION À CEUX QUI SE TENAIENT À LA SORTIE...

NÉANMOINS, JE GARDAIS UN ŒIL SUR LA VIE QUE CHACUN DE VOUS MENAIT...

ET J'AI ESTIMÉ QU'IL ÉTAIT TROP TÔT POUR VENIR VOUS VOIR...

JE TE L'AI DIT : IL FAUT RESPECTER L'ORDRE DES CHOSES...

IL M'A FALLU CINQ ANS AVANT DE POUVOIR TOUS VOUS LOCALISER...

NATSU, GAJIL, WENDY, STING, ROG...

...

ET ALORS QUE J'ÉTAIS SUR VOS TRACES, J'AI FAIT UNE TERRIBLE DÉCOUVERTE...

ÉTAIT-CE À CAUSE DE L'INCIDENT DE LA PORTE ? OU BIEN POUR UNE AUTRE RAISON ? TOUJOURS EST-IL QU'"IL" EXISTAIT...

C'EST MÊME PLUS QU'UNE FORCE... C'EST PROCHE D'UN CHAMP NOTIONNEL...

"IL" EST TRÈS PUISSANT ET SA FORCE REPRÉSENTE UN VRAI DANGER...

ET SI JE SUIS RESTÉE EN RETRAIT, C'EST POUR ENQUÊTER SUR "ÇA" ET ME PRÉPARER...

C'EST UN INTERSTICE TEMPOREL...

LE SEUL ESPOIR D'ENFERMER ACNOLOGIA ET DE LE RÉDUIRE À NÉANT...

CHAPITRE 530 : NÉO ÉCLIPSE

AN X777, CITÉ ROYALE DE CROCUS.

LE PARC DE LA LANGUE DU DRAGON VA BIENTÔT OUVRIR SES PORTES !

OUAIS

OUAIS

MAMAN, REGARDE !

MOI, JE N'AIME PAS ÇA...

BROUHAHA

BROUHAHA

BROUHAHA

UNE ÉCLIPSE LUNAIRE...

OH ! UNE ÉTOILE FILANTE !

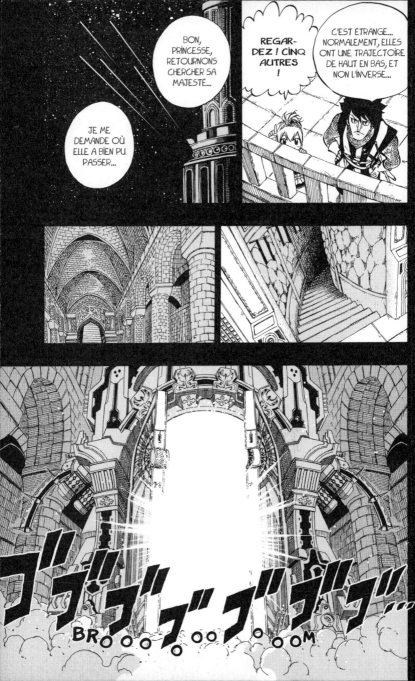

...

MALHEUREUSEMENT, LAYLA EST MORTE AVANT QU'ON AIT PU SE REVOIR...

GOOOO

MAÎTRE...

OUI, BIEN SÛR...

ON PEUT CONNAÎTRE LA SUITE ?

J'AI RAPIDEMENT COMPRIS QU'IL Y AVAIT UN PROBLÈME...

IL NE S'AGIT PAS D'UN ÉLÉMENT NOUVEAU, PAS PLUS QUE DE LA LUMIÈRE OU DE L'OMBRE... C'EST UNE MAGIE DU NÉANT...

UNE MAGIE TRÈS DIFFÉRENTE DES AUTRES...

OUI... ET ELLE NE DEVRAIT PAS ÊTRE PRÉSENTE À CETTE ÉPOQUE...

J'AI DONC MENÉ DES RECHERCHES...

DU NÉANT ?

ET J'AI FINI PAR TROUVER...

L'INTERSTICE TEMPOREL...

C'EST PROBABLEMENT UNE RECTIFICATION DU TEMPS NATUREL... UNE FORCE QUI DÉPASSE NOTRE COMPRÉHENSION EST AINSI NÉE...

LE FAIT QUE NOUS AYONS FAIT UN BOND DE QUATRE CENTS ANS EN AVANT A PROVOQUÉ UNE LÉGÈRE DISTORSION TEMPORELLE...

PAS MÊME ACNOLOGIA...

DANS L'INTERSTICE TEMPOREL, C'EST LE NÉANT... NUL NE PEUT Y VIVRE OU Y SURVIVRE...

OUI...

C'EST LÀ QUE VOUS VOULEZ QU'ON L'ATTIRE ?!

MAIS ENFIN !

AUCUN DOUTE : IL Y A UN AN, AVEC LE GRAND TOURNOI DE LA MAGIE, UNE PORTE S'EST OUVERTE ET LE TROU A FORTEMENT RÉAGI...

VOUS ÊTES SÛRE DE LA NATURE DE CET ESPACE ?

C'EST INCROYABLE ! PERSONNE N'A JAMAIS REMARQUÉ LA PRÉSENCE DE CET INTERSTICE ?!

C'EST NORMAL, JE LE CACHAIS...

OUI... D'HABITUDE, IL EST INVISIBLE...

ET IL N'EST PAS PLUS GRAND QUE CETTE CLÉMENTINE...

UN TROU ?

MAIS QUICONQUE LE TOUCHE...

N'A PLUS AUCUNE CHANCE D'EN RESSORTIR...

NOUS ALLONS FONCER TOUT DROIT SUR LE TROU ET NOUS L'ÉVITERONS AU DERNIER MOMENT...

LE PLAN EST TRÈS SIMPLE !

ET DIS-PARAÎTRA, MEEEEN !

ACNOLOGIA, QUI EST À NOS TROUSSES, LE TOUCHERA...

ON N'A PAS LE CHOIX...

C'EST UN PEU TROP "SIMPLE", NON ?

MAGNORIA.

ÉVIDEMMENT ! AVANT J'IGNORAIS QUE C'ÉTAIT LE LIVRE DE NATSU...

GREY... TU NE DIRAS PLUS QUE TU VEUX DÉTRUIRE CE LIVRE, HEIN ?

...

OUI... PARDON...

LUCY... ÇA VA ?

EN FAIT...

JE CROIS QUE JE COMMENCE À COMPRENDRE CE QUE DISAIT MAVIS...

!!

DITES... ET SI ON L'OUVRAIT POUR VOIR CE QU'IL CONTIENT ?

?!

MAIS AVANT CELA, IL FAUT QUE ZELEPH...

...

POUR S'EN SORTIR, NATSU AURA BESOIN...

DES POUVOIRS DE SES COMPAGNONS !

NON, RIEN...

JE T'ÉCOUTE, GREY...

...

MES AMBITIONS SONT BIEN PLUS GRANDES QUE ÇA !

OUI !

GLOUPS

OU-VRONS-LE...

IL NE LES ASSOUVIRA PAS ! NATSU EST LÀ !

C'EST TOUT, E.N.D. ?

HAA...

HAA...

HAA...

HAA...

HAA...

HAA...

HAA...

TU ME DÉÇOIS ÉNORMÉ-MENT !

JE TE CROYAIS POURTANT CAPABLE DE ME DÉTRUIRE !

OUTCH

GHUUU...

AH...

AAH...

AH...

CRT
UUH...
GHH...
CRT
CRT

GRÂCE AU POUVOIR DE MAVIS...

ÇA IRA... JE POURRAIS REDEVENIR COMME AVANT...

NÉO ÉCLIPSE !

ET REVENIR AU MOMENT OÙ JE N'ÉTAIS PAS ENCORE IMMORTEL...

REMETTRE À ZÉRO LE COMPTEUR DU TEMPS...

JE NE VAIS PAS ALLER DANS LE FUTUR OU LE PASSÉ...

JE VAIS ME RÉINITIALISER...

?!

PERSONNE NE SERA BLESSÉ ! ET TOI, TU POURRAS REDEVENIR HUMAIN !

ACNOLOGIA POURRA ÊTRE VAINCU !

ALORS... C'EST ÇA... TON VÉRITABLE... OBJECTIF...

AUCUNE IDÉE... CE N'EST PLUS MON MONDE !

MAIS... ET NOUS ?! QU'EST-CE QU'ON VA DEVENIR ?!

UN HAPPY END ABSOLUMENT PARFAIT !

ZELEPH !

TU SAIS TOUT CE QU'ON A ENDURÉ POUR VIVRE ICI ?!

CRT

CRT

CRT

LA DEUXIÈME...

ET ELLE VA VENIR ICI D'ELLE-MÊME !

IL Y A DEUX CLÉS POUR NÉO ÉCLIPSE... LA PREMIÈRE, C'EST MAVIS...

C'EST L'INTERSTICE TEMPOREL !

CHAPITRE 531 :
LE CHEVAL VOLANT
VS LE DRAGON NOIR

SI TU VEUX MON AVIS, IL SERA INSENSIBLE À TON CHARME...

ET SI JE ME DÉSHABILLAIS ?

CE N'ÉTAIT PAS SPÉCIALEMENT L'OBJECTIF QUAND ON L'A TAQUINÉ...

TU CROIS QU'IL VA CONTINUER À NOUS SUIVRE ?

IL FAUT QUE JE VOUS DISE... MES SOUVENIRS SONT... TRÈS FLOUS...

WENDY...

MAÎTRE ANNA...

J'AIME-RAIS TANT POUVOIR ME SOUVENIR DE TOUT ÇA...

TU N'Y PEUX RIEN... NATSU ET LES AUTRES SONT SÛREMENT DANS LE MÊME CAS...

VOUS ÉTIEZ TRÈS JEUNES QUAND VOUS AVEZ TRAVERSÉ L'ÉCLIPSE... C'EST PEUT-ÊTRE UNE CONSÉQUENCE DIRECTE DE ÇA...

NE T'EN FAIS PAS, ÇA REVIENDRA...

TON INTENTION ME TOUCHE...

IL FAUT FAIRE LES CHOSES DANS L'ORDRE...

MAIS SI ON VEUT VAINCRE ACNOLOGIA, IL FAUT APPLIQUER LE PLAN... JE NE VOIS PAS D'AUTRE SOLUTION...

ET RELATIVISE : POUR L'INSTANT, ON N'A AUCUNE PREUVE QUE TOUTE CETTE HISTOIRE EST VRAIE...

NE FAIS PAS CETTE TÊTE-LÀ...

JE T'ADMIRE POUR ÇA, MAIS...

C'EST AUSSI LÀ QU'EST TON POINT FAIBLE...

MOI, JE LUI FAIS CONFIANCE...

SANS CONFIANCE, ON N'ARRIVE À RIEN...

ON EST MAL !
IL S'EST ACCROCHÉ
AU VAISSEAU
!

JE NE
COMPRENDS
PAS
!

IL A POURTANT
TOUCHÉ
L'INTERSTICE,
NON
?!

IL A RENDU
L'INTERSTICE
VISIBLE...

C'EST
INVRAISEM-
BLABLE
!

MAIS
ENFIN...

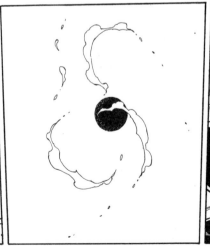

74

L'INTERSTICE...

EST FERMÉ...

QU'EST-CE QUI SE PASSE ?!

J'AI TROUVÉ UN INTERSTICE TEMPOREL...

75

GHH...

IL DÉBORDE D'UNE PUISSANCE MALÉFIQUE INIMAGINABLE...

CETTE FORCE DU TEMPS M'APPARTIENT...

C'EST POUR ÇA QUE JE L'AI REFERMÉ...

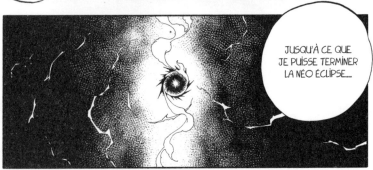

JUSQU'À CE QUE JE PUISSE TERMINER LA NÉO ÉCLIPSE...

ZUT !

IL FAUT AGIR VITE !

LE VAISSEAU NE TIENDRA PAS LONGTEMPS !

PEU IMPORTE ! IL FAUT TROUVER UNE SOLUTION...

MAIS ENFIN...

JE NE COMPRENDS PAS...

ET JE PENSE QU'ON N'A PAS BEAUCOUP DE TEMPS POUR ÇA...

QUOI ?

ICHIYA ! DÉTRUIS LE LACRIMA QUI PERMET L'ACCÈS AUX CHASSEURS DE DRAGONS !

ACNOLOGIA EST L'UN D'EUX ! IL NE POURRA PLUS S'ACCROCHER AU NAVIRE !

SCRSHHHH

AAAAAH !

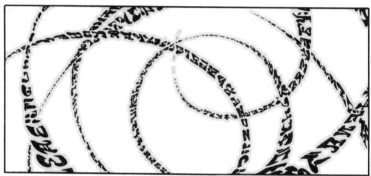

ZELEPH
!

MAVIS...

TOUS LES
INGRÉDIENTS
DE NÉO ÉCLIPSE
SONT MAINTE-
NANT RÉUNIS...

！

NA-
TSU...

GHAAA...

ゴゴゴゴゴ
GOOO

ガゴキキ
FROOOOOSH

ÉCARTE-TOI
DE LÀ, MAVIS...

ÇA Y EST, JE SUIS CHAUD BOUILLANT !

LE POUVOIR DU DRA-GON...

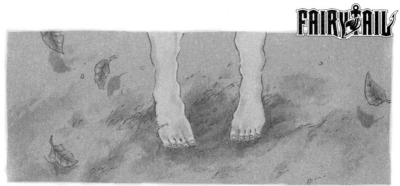

MAVIS...

ZELEPH...

CE MONDE...
NOTRE MONDE...

OUI,
JE SAIS...

CHAPITRE 532 :
JE NE VOIS PLUS AUCUN AMOUR

JE SUIS UN HOMME...

JE NE SERAI JAMAIS COMME LUI...

TU N'AS PLUS ASSEZ DE FORCE POUR TE MÉTA-MORPHOSER COMME ACNO-LOGIA...

LE POUVOIR DU DRAGON...

ÇA NE SERT À RIEN, NATSU...

C'EST CE QUE SOUHAITAIT IGNIR, MON PÈRE...

TU N'ES PAS UN DRAGON, PAS PLUS QUE TU N'ES UN HOMME...

E.N.D. !

...

JE VEUX ESSAYER DE LUI PARLER !

LAISSE-MOI UNE CHANCE !

QU'EST-CE QUI TE PREND ?!

FWIT

AAH !

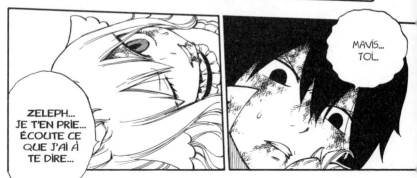

ZELEPH... JE T'EN PRIE... ÉCOUTE CE QUE J'AI À TE DIRE...

MAVIS... TOI...

JE SAIS COMMENT TE SAUVER...

JE PEUX TE LIBÉRER DE L'IMMORTALITÉ...

LE MOYEN DE TE VAINCRE...

J'AI ENFIN TROUVÉ...

FOUTAISES ! J'AI DÉJÀ TOUT ESSAYÉ POUR MOURIR...

MÊME E.N.D. A ÉCHOUÉ À ME VAINCRE...

PARCE QUE JE NE PEUX PAS MOURIR... C'EST TERRIFIANT...

DANS CE CAS, POURQUOI CRAINS-TU ACNOLOGIA ?

TOUT IMMORTEL QUE JE SUIS, JE NE PEUX PAS LE VAINCRE...

AUTREMENT DIT, IL VA FAIRE DISPARAÎTRE TOUS LES HOMMES...

IL EST CAPABLE D'ANÉANTIR L'HUMANITÉ TOUT ENTIÈRE...

MAIS ON NE MOURRA PAS POUR AUTANT... NOUS SERONS À JAMAIS SES JOUETS...

IL FERA CE QU'IL VEUT DE NOUS...

...

ET IL NE RESTERA QUE TOI, ET MOI...

CHAQUE JOUR, ON SERA LÀ, À SA MERCI...

JE VAIS PRENDRE TON CŒUR DE FÉE !

AH...

AAH...

AH...

DAM

PII"

MAVIS !

WO O O O O

ACTIVATION DE L'ACCÉLÉRATEUR MAGIQUE DE SECOURS !

CLANG

ON PERD DE LA VITESSE !

IL VA NOUS RATTRAPER !

BON SANG ! LE PONT ARRIÈRE ET UNE PARTIE DES AILES ONT ÉTÉ DÉTRUITS !

PEINE PERDUE...

TANT QUE VOUS AUREZ UN DRAGON À BORD...

JE LE POUR-CHASSERAI...

POF

JE TE L'AI DIT : ON VA ROUVRIR L'INTERSTICE...

VOUS AVEZ UNE IDÉE ?!

IL FAUT GAGNER DU TEMPS !

JE TE RAPPELLE QUE JE SUIS UNE CONSTELLATIONNISTE... FORCER LES PORTES, ÇA ME CONNAÎT !

GERALD...

JE M'EN CHARGE...

AH... AAH... AAH...

AAH... AH... AAH...

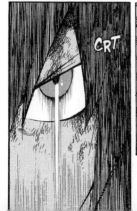

CRT

ARRÊTE ÇA TOUT DE SUITE !

VRSHH

VOILÀ... DÉSORMAIS, JE N'AI PLUS AUCUN REGRET...

PLAF

J'AI ASPIRÉ TOUS SES POUVOIRS ET ELLE N'A PLUS LA FORCE DE SE RELEVER...

ELLE N'EST PAS MORTE...

MAVIS ! RÉPONDS-MOI !

MAVIS !

VOICI...

L'HEURE EST VENUE...

ZELEPH ! ENFOIRÉ !

CHAPITRE 533 :
ZELEPH, LE MAGE BLANC

ON VA VOIR
?

QU'EST-CE
QUE C'ÉTAIT
?

ÇA VENAIT
DE LA
GUILDE...

LUXUS...

ET TOUS
LES AUTRES...

!!

ATTENDS
!

FRSH

FRSH

ELLE DOIT AVOIR UN PLAN EN TÊTE...

MAVIS NOUS A DEMANDÉ DE NOUS ÉLOIGNER DE LA GUILDE...

C'EST POURTANT PAS L'ENVIE DE RENTRER QUI MANQUE...

...

ILS ONT UN SACRÉ CRAN...

LE CHEVAL VOLANT JOUE LES APPÂTS ?

ET LE DRAGON NOIR ? ON DIRAIT QU'IL A DISPARU...

JE L'AI VU FILER DERRIÈRE LE VAISSEAU DE PÉGASE...

JUSTE-MENT, ON LES CHER-CHE...

ET LES AUTRES ? CEUX QUI MANQUENT À L'APPEL ?

ÇA VENAIT DE LA GUILDE...

C'ÉTAIT QUOI, ÇA ?

AÏE...

ET LES LETTRES ?!

ÇA VA, LUCY ?

OUI...

BON SANG, QU'EST-CE QUI SE PASSE ?

ELLES SONT RETOURNÉES DANS LE LIVRE...

UN SORT DE LIAISON ENTRE CORPS VIVANTS, DE NIVEAU TRÈS ÉLEVÉ...

C'EST SÛREMENT UN LIEN DE CE GENRE QUI LIE NATSU ET CE LIVRE...

TU PLAI-SANTES ?! UN BOUQUIN AUSSI ÉPAIS ?!

SI ON PARVENAIT À LE RÉÉCRIRE...

QUOI ?

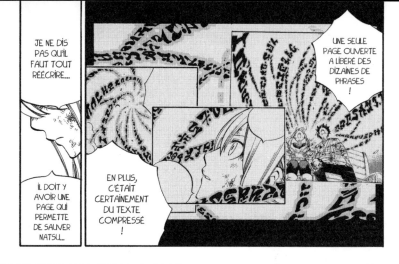

JE NE DIS PAS QU'IL FAUT TOUT RÉÉCRIRE...

IL DOIT Y AVOIR UNE PAGE QUI PERMETTE DE SAUVER NATSU...

EN PLUS, C'ÉTAIT CERTAINEMENT DU TEXTE COMPRESSÉ !

UNE SEULE PAGE OUVERTE A LIBÉRÉ DES DIZAINES DE PHRASES !

À NOUS DE LA TROUVER !

ÇA, C'EST CERTAINEMENT À NOTRE PORTÉE !

GWOOOOOO

MAVIS...

IL EST TROP TARD...

POING
DESTRUC-
TEUR...

HAA...

HAA...

HAA...

HAA...

PARDON, LE VIEUX...

J'AI ENCORE DÉTRUIT LA GUILDE....

C'EST LE POUVOIR DE FAIRY HEART...

IL S'EST... RECOMPOSÉ...

C'EST UNE MAGIE INÉPUISABLE...

JE MAÎTRISE L'ESPACE ET LE TEMPS...

EN QUELQUE SORTE, C'EST LE SUMMUM DE TOUTES LES MAGIES...

125

J'AI OUBLIÉ DE TE DIRE QUELQUE CHOSE...

INUTILE DE T'EXCUSER AUPRÈS DE MAKAROF...

PUISQU'IL EST MORT...

CHAPITRE 534 :
LA PORTE DES PROMESSES

MÉTÉORE !

QUELLE PUISSANCE INCROYABLE...

LA MER S'EST FENDUE EN DEUX...

À CE RYTHME-LÀ...

FRSHHHH

JE PENSAIS POUVOIR GAGNER DU TEMPS EN ESQUIVANT SES ATTAQUES, MAIS...

LE CONTINENT TOUT ENTIER VA DISPARAÎTRE...

L'INTERSTICE EST TOUJOURS FERMÉ ?!

SI, MALGRÉ TOUS MES EFFORTS, IL N'Y A AUCUNE RÉACTION...

...

IL VA LAISSER LA PLACE À UN AUTRE TOUT NEUF...

C'EST LA FIN DE CE MONDE...

TIIIING

LA PORTE DE FAIRY TAIL... L'ENTRÉE VERS UN NOUVEAU MONDE...

SI ON LA CONNECTE À L'INTERSTICE TEMPOREL...

ET MON NOUVEAU MONDE NAÎTRA...

LORSQUE JE LA FRANCHIRAI...

CE MONDE S'EFFONDRERA...

QUELLE IRONIE !

LA PORTE A VU PASSER DE NOMBREUX VOYAGEURS, ET DES MAGES...

DIRE QU'ELLE SERA LE POINT FINAL ET LE POINT DE DÉPART DE DEUX MONDES...

JE VAIS RE-
COMMENCER
MA VIE...

SANS RIEN
OUBLIER DE
TOUT CE QUE
J'AI CONNU...

JE NE REFERAI
PLUS LES MÊMES
ERREURS...

ET JE
SAUVERAI
CE MONDE
!

LES LETTRES
ÉCLATENT
?!

IL EST
ARRIVÉ
QUELQUE
CHOSE À
NATSU
?

DANS CE CAS, IL DOIT ÊTRE GRAVEMENT BLESSÉ...

?!

CE SONT DES PARTIES DE SON CORPS...

TU AS COMPRIS QUELLE PARTIE RÉÉCRIRE ?!

NE T'EN FAIS PAS ! JE ME SOUVIENS DE TOUT !

FACILE À DIRE !

MAIS COMMENT VAS-TU FAIRE ?! ELLES ONT ÉCLATÉ SUBITEMENT...

NON ! MAIS JE VAIS RÉÉCRIRE LES LETTRES QUI ONT DISPARU...

PEU IMPORTE, APRÈS TOUT ! IL EST OUVERT, C'EST L'ESSENTIEL...

OUI, MAIS... JE N'Y SUIS POUR RIEN... QUELQU'UN D'AUTRE A AGI...

C'EST VRAI ?!

L'INTER-STICE S'EST OUVERT !

ANNA ! REGARDEZ !

!

OOOOOOH

C'EST QUOI, ÇA ?

L'INTERSTICE EST VISIBLE À L'ŒIL NU...

C'EST BON ! JE VAIS LE POUSSER !

NON ! C'EST TROP DANGEREUX ! SI JAMAIS TU LE TOUCHES, TOI AUSSI, TU...

TIING

QU'EST-CE QU'ON PEUT FAIRE ?!

S'IL COMPREND CE QUE C'EST, NOTRE PLAN TOMBERA À L'EAU

143

IL N'Y A PAS D'AUTRE SOLUTION !

GERALD !

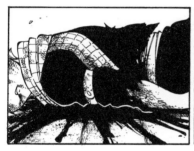

"PROMETS
DE REVENIR..."

"LORSQUE
TU FRANCHIRAS
CETTE PORTE..."

C'EST
CE QUE LE
VIEUX DISAIT
TOUJOURS...

JE REMERCIE
CE MONDE...

LUCY
?!

ELLE A TOUT
RÉÉCRIT
!

WAOUH...

DOM

LUCY !
RÉPONDS-
MOI !

HÉ !
QU'EST-CE
QUE TU AS
?!

DOM

DOM

CHAPITRE 535 :
PUISSANCE ULTIME

ELLE EST FIGÉE... CE N'EST PAS NORMAL...

LUCY !

AH...

AAH...

AH...

CA VA ?!

RAAH...

HAA...
HAA...
HAA...
HAA...

POF
TU ES BOUILLANTE !

LES FLAMMES DE NATSU...

CELLES DU DÉMON ?

J'AI CHAUD...
IL Y A QUELQUE CHOSE DANS MON CORPS...
ARGH...

ON VA
LE SAUVER
ENSEMBLE
!

OUI...

SES PLAIES ONT DISPARU ?

HAA...

HAA...

HAA...

HAA...

HAA...

HAA...

HAA...

NON... JE DOUTE QU'UN HOMME PUISSE ÉCRIRE LES LETTRES DU DÉMON...

MAIS AU FAIT, OÙ EST LE LIVRE D'E.N.D. ?

ATTENDS... QUELQU'UN L'AURAIT RÉÉCRIT ?!

MÊME S'IL Y PARVENAIT, IL FINIRAIT PAR ÊTRE RONGÉ...

ET... PLONGERAIT DANS LES TÉNÈBRES...

ÇA N'ARRIVERA PAS DEUX FOIS... CELUI QUI T'A SAUVÉ N'Y SURVIVRAIT PAS...

TA RÉSURRECTION RELÈVE DU MIRACLE, MAIS...

POF

HAA... HAA...

HAA... HAA...

BRRR

155

MERCI...

LUCY...

AH... OUI... J'AI ENFIN COMPRIS...

GREY...

!

HAPPY...

C'ÉTAIT LA VOIX DU VIEUX...

POF

JE VOUS AIME...

DU PLUS PROFOND DE MON CŒUR...

159

VOUS ALLEZ MOURIR...

AAAAAH !

JE SUIS ACNOLOGIA, LE DRAGON MALÉFIQUE...

MANGEUR DE MAGIE...

OUI !
TANT QU'ON
N'AURA PAS
RETROUVÉ UNE
VIE NORMALE ET
JOYEUSE
!

GRAAH
!

C'EST JUSTEMENT
CE QUE J'ESSAIE
DE FAIRE
!

BLAM

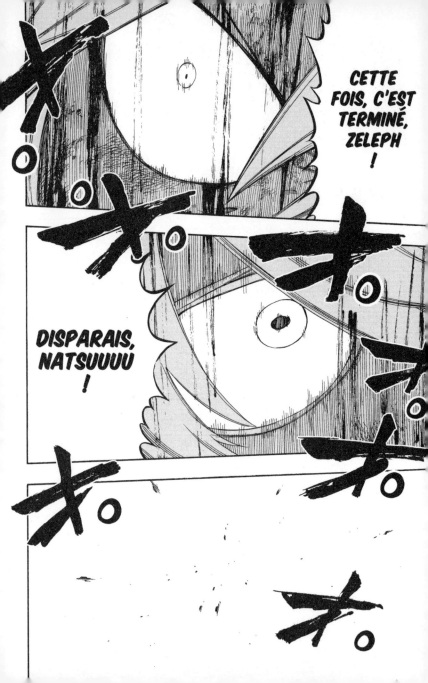

CHAPITRE 536 :
LES FLAMMES DU DRAGON EN COLÈRE

!

BROOOOO

COMMENT IL PEUT ENCORE VOLER DANS CET ÉTAT ?!

ARRÊTEZ ! LE VAISSEAU VA EXPLOSER !

FAISONS LES CHOSES DANS L'ORDRE...

PEGASUS, PARDON...

JE VAIS ME SERVIR DE VOTRE VAISSEAU POUR POUSSER ACNOLOGIA DANS L'INTERSTICE !

J'AI TRAVERSÉ QUATRE CENTS ANS POUR ACCOMPLIR MA MISSION !

C'EST DU SUICIDE !

VOUS ÊTES FOLLE ?!

MAÎTRE ANNA !

ICHIYA...

MAIS ENFIN...

ICHIYA ?!

JE NE PEUX PAS LAISSER UNE JEUNE FEMME AU PARFUM SI DOUX AGIR TOUTE SEULE !

VOUS ALORS...

VOUS SAVEZ PARLER AUX FEMMES...

AAAH
!

CAPITAINE
!

NOTRE
MAÎTRE
À TOUS
!

ICHIYA
!

MAÎTRE
!

ICHIYA
!

TOI, TU AS
LE DEVOIR
DE RENDRE
QUELQU'UN
HEUREUX
!

LÂCHE
GERALD
!

BAM

ILS ONT ÉTÉ HAPPÉS PAR L'INTERSTICE...

ANNA ET ICHIYA AUSSI...

AVEC ACNOLOGIA...

LE VAISSEAU A DISPARU...

ALORS... ON A GAGNÉ... HEIN ?

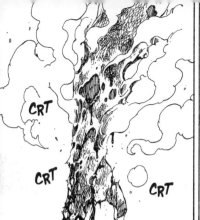

CRT

CRT

CRT

HAÂ...

HAÂ...

HAÂ...

HAÂ...

NON...
JE NE PEUX
PAS MOURIR...

JE VAIS
RÉCUPÉRER
MES FORCES
TOUT DE
SUITE...

C'EST LA
PREMIÈRE
FOIS...

ET SI
C'ÉTAIT...
ÇA... NON...

JE NE
PEUX
PLUS...

BOUGER...

MOI,
JE SUIS CREVÉ...
JE SUIS IMPATIENT
DE REVOIR HAPPY
ET LES AUTRES...

OUI...

MAVIS,
JE SUPPOSE
QUE JE PEUX
TE LE LAISSER
?

FR5H

AU
REVOIR,
GRAND
FRÈRE...

POF

POF

MAVIS...

À SUIVRE

POSTFACE

Anna est arrivée !
Et avec elle, l'exemple type du personnage ajouté a posteriori.
Je le confesse ici, c'est une idée qui m'est venue sur le tard.

Pour être tout à fait honnête, j'avais commencé à imaginer un
rebondissement de ce genre-là dès le début de l'arc d'Arbaless, mais
j'attendais le moment propice pour le mettre en scène. Finalement,
tout s'est précipité et il est arrivé un peu de but en blanc.

En temps normal, j'aurais semé des indices afin de créer une attente
chez vous, chers lecteurs, mais là, j'ai été un peu dépassé. De manière
plus précise, j'avais en tête la scène de flash-back entre Anna et Leila
depuis assez longtemps, mais lorsqu'il s'est agi de la dessiner pour
de bon, ce fut une autre paire de manches : j'ai dû me creuser la tête
pour que ça reste cohérent. J'y suis finalement parvenu, mais j'ai
maintenant peur que ça génère d'autres problèmes ailleurs.

Vous l'ignorez probablement, mais dans la postface publiée
dans le premier tirage de l'édition japonaise du tome 62, j'ai
commis une énorme erreur. J'en ai donc écrit une seconde,
et c'est celle que vous lisez actuellement.

En effet, dans mon texte initial, j'ai totalement spoilé les premiers
chapitres du tome 63. D'habitude, je fais toujours très attention à ne
pas faire de révélations maladroites, mais cette fois, la série venait
de prendre fin, la pression était retombée et je me suis probablement
relâché. Je m'en veux terriblement et je m'excuse auprès
des lecteurs dont j'ai pu gâcher le plaisir.

Dans ce tome, on approche sérieusement de la fin de l'affrontement
contre Zeleph. Le tome 63 sera le dernier. Ce sera la fin des longues
aventures de Natsu et ses compagnons.

Merci à tous pour votre soutien et rendez-vous au dernier tome !

Titre original :
FAIRY TAIL, vol. 62
© 2017 Hiro Mashima
All rights reserved.
First published in Japan in 2017
by Kodansha Ltd., Tokyo.
Publication rights for this French edition
arranged through Kodansha Ltd., Tokyo.

Traduction du japonais : Thibaud Desbief
Adaptation graphique : Sébastien Douaud
Maquette de couverture : Hervé Hauboldt
Suivi éditorial : Matthieu Barbarit
Responsable éditorial : Mehdi Benrabah

Édition française
2018 Pika Édition
ISBN : 978-2-8116-4055-2
ISSN : 2100-2932
Dépôt légal : mars 2018

Achevé d'imprimer en Italie
par Grafica Veneta en mars 2018

PAPIER À BASE DE
FIBRES CERTIFIÉES

Pika Édition s'engage pour l'environnement en
réduisant l'empreinte carbone de ses livres.
Rendez-vous sur www.pika-durable.fr

www.pika.fr